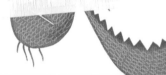

L'autore

Simone Frasca
Vive e lavora a Firenze, ma anche un po'
a San Paolo in Brasile. Essendo un po' di-
stratto, inciampa spesso nelle storie e, se
non si fa male, le scrive e le disegna. I bam-
bini che lo guardano disegnare draghi e
maiali su grandi fogli bianchi dicono che
è veloce come un fulmine. Collabora con
numerosi editori e ha realizzato diverse
campagne informative rivolte all'infanzia.

Se volete scrivergli, l'indirizzo è: Simone Frasca,
presso Mondadori Ragazzi, via Mondadori 1,
20090 Segrate (Milano);
email: autori@ragazzimondadori.it

Simone Frasca

SONO ALLERGICO AI DRAGHI!

disegni dell'Autore

MONDADORI

A Giulio,
che i draghi li combatte tutti i giorni;

a Katia,
che mi ha insegnato che i draghi sono stupidi;

a Bianca,
che mi ha dato preziosi consigli per la copertina

Coordinamento editoriale: copia & incolla s.n.c., Verona
Art director: Fernando Ambrosi
Grafica: Eleonora Bassi

www.ragazzimondadori.it

© 2012 Arnoldo Mondadori Editore S.p.A., Milano, per il testo e le illustrazioni
Prima edizione settembre 2012
Prima ristampa agosto 2013
Stampato presso ELCOGRAF S.p.A. - Via Mondadori, 15 - Verona
Printed in Italy
ISBN 978-88-04-62190-4

ODDONE ERA SINDACO DI DRAGONIA.
COME SI PUÒ VEDERE DAI QUADRI APPESI
NEL SALOTTO, TUTTI I SUOI ANTENATI
ERANO STATI CACCIATORI DI DRAGHI.

POI ERA NATO MICHELE.

ALL'INIZIO QUANDO MICHELE STARNUTIVA
ODDONE SI AFFRETTAVA A METTERGLI
UN ALTRO GOLFINO DI PELLE DI DRAGO.
E GLI STARNUTI AUMENTAVANO.

ALLORA LIVONIA, CHE ERA LA SUA MAMMA,
GLI FACEVA BERE UNA TAZZA DI BRODO
DI DRAGO CALDO. E GIÙ STARNUTI,
CHE SEMBRAVA UN TERREMOTO.

ETCIÙÙÙ

«NON È RAFFREDDATO» DISSE UN GIORNO
LA MAMMA. «È SOLO ALLERGICO.»
«A COSA?» CHIESE ODDONE, PREOCCUPATO.
«MI SEMBRA EVIDENTE» SBOTTÒ
LA MAMMA. «AI DRAGHI!»
ODDONE DIVENTÒ BIANCO COME UN CENCIO.

E COME DARGLI TORTO?
NEI BOSCHI INTORNO A DRAGONIA C'ERANO
PIÙ DRAGHI CHE ALBERI, SPECIALMENTE
DA MAGGIO A SETTEMBRE.

E CON I DRAGHI, SE NON SI VENIVA MANGIATI,
SI FACEVA DI TUTTO: MOBILI, TAPPETI,
QUADERNI BISTECCHE...

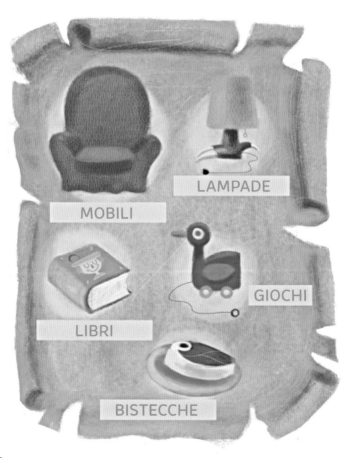

LAMPADE

MOBILI

GIOCHI

LIBRI

BISTECCHE

... VESTITI E BRODO CALDO!

ODDONE SOSPIRÒ. «QUI NON C'È NIENTE
CHE NON SIA FATTO CON I DRAGHI:
ANCHE IL CIUCCIO DI MICHELE!»

«NON C'ERA NIENTE SINO A OGGI» RIBATTÉ
LA MAMMA.
«MA SE MICHELE È ALLERGICO, DA DOMANI
TROVEREMO QUALCOS'ALTRO!»
«ETCIÙÙÙ!!!» CONFERMÒ MICHELE CONTENTO.

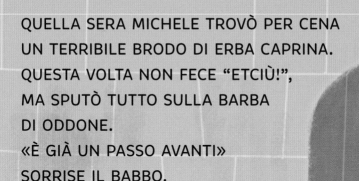

QUELLA SERA MICHELE TROVÒ PER CENA
UN TERRIBILE BRODO DI ERBA CAPRINA.
QUESTA VOLTA NON FECE "ETCIÙ!",
MA SPUTÒ TUTTO SULLA BARBA
DI ODDONE.
«È GIÀ UN PASSO AVANTI»
SORRISE IL BABBO.

«IMPAREREMO A CUCINARE RICETTE BUONE
SENZA CARNE DI DRAGO» DISSE LA MAMMA.
«CI VORRANNO LATTE, UOVA, FRUTTA
E VERDURA! E LANA PER FARE UN GOLFINO.»
«QUESTO AI DRAGHI NON PIACERÀ»
COMMENTÒ ODDONE.

DRAGONIA ERA ADAGIATA SUL FONDO
DI UNA VALLE ARIDA DOVE, FRA UN SASSO
E L'ALTRO, CRESCEVANO SOLO CIUFFI
DI AMARISSIMA ERBA CAPRINA.
NEI BOSCHI CHE CIRCONDAVANO LA VALLE
C'ERANO PECORE, POLLI, MUCCHE, PESCHE
E CAVOLI CAPPUCCI.

MA ERANO PROPRIETÀ DEI DRAGHI,
E NESSUNO OSAVA TOCCARLE.

CATTURARE UN DRAGO OGNI TANTO
ERA PIÙ SEMPLICE: I PIÙ CORAGGIOSI
PARTIVANO DAL PAESE
ARMATI DI UN MARTELLO
GIGANTESCO E
QUALCHE CARTELLO.

QUANDO SENTIVANO ARRIVARE
UN DRAGO SCRIVEVANO SUI CARTELLI:

GRANDE SVENDITA
DI FIAMMIFERI

CON UNA FRECCIA CHE INDICAVA
UN CESPUGLIO.

I DRAGHI SONO MOLTO STUPIDI:
ADORANO I CARTELLI E NON RESISTONO
ALLE SVENDITE...
ANCHE SE NON HANNO BISOGNO
DI FIAMMIFERI.

I DRAGONESI INTANTO ASPETTAVANO
NASCOSTI NEL CESPUGLIO IMPUGNANDO
IL MARTELLONE, E AL MOMENTO GIUSTO...
SBANG!!!

DOPO AVER SCOPERTO L'ALLERGIA
DI MICHELE, ODDONE ORGANIZZÒ
CON UN GRUPPO DI AMICI LA PRIMA
SPEDIZIONE "FREGAROBABUONADELDRAGO".
PER PASSARE INOSSERVATI, SI NASCOSERO
SOTTO UN BELLISSIMO DRAGO DI STOFFA
E TORNARONO AL PAESE CON FRUTTA,
VERDURA, UNA PECORA E QUATTRO GALLINE.

«ABBIAMO SEMPRE MANGIATO BISTECCHE
DI DRAGO» BORBOTTARONO I DRAGONESI.
«PERCHÉ COMPLICARSI LA VITA?»

MA QUANDO ASSAGGIARONO IL PRIMO UOVO
ALLA COQUE, LO SFORMATO DI CAROTE E LA
CROSTATA DI PESCHE, CAMBIARONO IDEA.

GRAZIE ALLE SPEDIZIONI, ADESSO IN PAESE
SI MANGIAVANO VERDURA E FORMAGGI,
SI BEVEVANO LATTE E SUCCHI DI FRUTTA,
E CI SI VESTIVA CON ABITI DI MORBIDA LANA
INVECE CHE DI PELLE DI DRAGO.

MICHELE AVEVA ANCHE SMESSO DI STARNUTIRE.
«ETCIÙÙÙ!!!» CIOÈ, AVEVA QUASI SMESSO:
BASTAVA CHE NELL'ARIA SI SENTISSE ODORE
DI DRAGO CHE RICOMINCIAVA.
MA MENO DI PRIMA.

I DRAGHI NON SONO BRAVI A FARE
I CONTI: CI VOLLE QUALCHE MESE
PRIMA CHE SI ACCORGESSERO
CHE MUCCHE, PECORE, GALLINE E CAVOLI
CAPPUCCI SPARIVANO A VISTA D'OCCHIO.

«CHIAMIAMO A RACCOLTA TUTTI I DRAGHI
DELLA REGIONE» PROPOSE IL MENO
STUPIDO DI LORO.
«DOMATTINA SCENDIAMO TUTTI INSIEME
DI CORSA DALLE COLLINE E SPIACCICHIAMO
IL PAESE E I SUOI ABITANTI.»

QUEL GIORNO MICHELE RICOMINCIÒ
A STARNUTIRE SENZA INTERRUZIONE.
«CI DEVONO ESSERE UN PO' TROPPI
DRAGHI NEI DINTORNI»
DISSE IL SUO PAPÀ.
E USCÌ IN MISSIONE
SEGRETA.

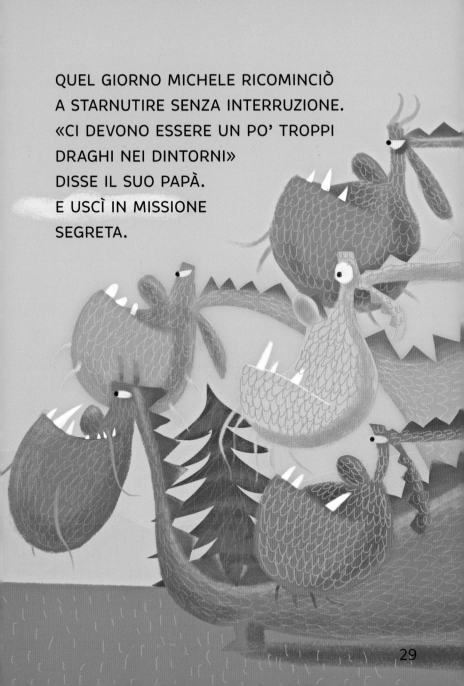

A ODDONE BASTÒ VEDERE TUTTI
QUEGLI STUPIDI DRAGHI CHE SI STAVANO
RADUNANDO SULLE COLLINE PER CAPIRE
COSA INTENDEVANO FARE.
COSÌ QUELLA NOTTE STESSA ORGANIZZÒ
IL CONTRATTACCO.

«RACCOGLIETE LENZUOLI,
MUTANDE E ASCIUGAMANI»
ORDINÒ AI DRAGONESI.
«AGO, FILO, PENNELLI, VERNICE
E SCALE: STANOTTE DOVREMO
LAVORARE SODO!»

LA MATTINA DOPO QUANDO I DRAGHI
SCESERO DI CORSA DALLE COLLINE
PER SCHIACCIARE IL PAESE, TROVARONO
AL SUO POSTO UN GIGANTESCO CARTELLO
CON UNA FRECCIA E UNA SCRITTA:

**PER DRAGONIA
ANDATE DI LÀ.**

SE AVESSERO GUARDATO BENE IL CARTELLO,
I DRAGHI AVREBBERO VISTO CHE ERA
UN LENZUOLO CUCITO CON TUTTA
LA BIANCHERIA A DISPOSIZIONE...
... E SE AVESSERO GUARDATO DIETRO
IL LENZUOLO, AVREBBERO VISTO
GLI ABITANTI DI DRAGONIA CHE CERCAVANO
DI NON FAR STARNUTIRE MICHELE.

MA I DRAGHI SONO VERAMENTE
MOOOLTO STUPIDI.

COSÌ SEGUIRONO LE INDICAZIONI
E CASCARONO TUTTI DENTRO
UN ENORME VULCANO.

SFRRRRR

MICHELE, È OVVIO, FU MOLTO·FESTEGGIATO:
GRAZIE ALLA SUA ALLERGIA, AVEVA
SALVATO IL PAESE DAI DRAGHI
E DALLE LORO BISTECCHE.

AL POSTO DEI SASSI E DELL'ERBA CAPRINA
ORA C'ERANO ORTI, ALBERI DA FRUTTO,
PECORE E GALLINE.

TANTI ANNI DOPO, QUANDO L'ALLERGIA
SE NE FU ANDATA, MICHELE TROVÒ
UN CUCCIOLO DI DRAGO NELLA FORESTA.

QUANDO LO PRESE IN BRACCIO,
IL CUCCIOLO GLI SI STRINSE CONTRO IL PETTO,
ANNUSÒ IL SUO ODORE E FECE: «ETCIÙÙÙ!!!»

MA QUESTA È UN'ALTRA STORIA...

GIOCHIAMO
INSIEME

GIOCHIAMO

Drago comanda colore!

I DRAGHI DI DRAGONIA SONO TUTTI IN RUNIONE. CON L'AIUTO DELLA MAMMA O DEL PAPÀ, ASSOCIA CON UNA RIGA OGNI DRAGO AL PROPRIO COLORE.

Trova l'intruso!

INSIEME

TRA CAVOLI, GALLINE, PECORE
E FINTI DRAGHI C'È UN INTRUSO.
TROVALO, È FACILE!

Questo sì, questo no

DEI 4 PARTICOLARI NEI CERCHIETTI
UNO SOLO NON APPARTIENE ALLA SCENA.
FATTI AIUTARE DA UN ADULTO A DIRE QUAL È.

L'ombra del drago

MICHELE HA TROVATO UN PICCOLO DRAGO.
OSSERVA LE 4 OMBRE DEL DRAGHETTO,
SOLO UNA È QUELLA GIUSTA.

Soluzioni dei giochi

DRAGO COMANDA COLORE!

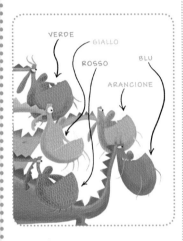

VERDE

GIALLO

ROSSO

BLU

ARANCIONE

TROVA L'INTRUSO!

QUESTO SÌ, QUESTO NO

L'OMBRA DEL DRAGO

i primi sassolini

PER PICCOLI LETTORI
DAI 3 ANNI

STORIE ALLEGRE, FILASTROCCHE, GIOCHI
E ILLUSTRAZIONI COLORATISSIME,
PRIME LETTURE CHE CREANO INTENSI E GIOIOSI
MOMENTI DI CONDIVISIONE... PERCHÉ
OGNI STORIA È UNA TENERA COCCOLA!

i primi sassolini

Roberto Piumini
Coloro che colorano

Simone Frasca
Sono allergico ai draghi!

ETCIÙ!

Agostino Traini
Mario trova un amico

Emanuela Nava
I miei nonni domano i leoni

Mario Sala Gallini
La magia di Caterina

Silvia Sommariva
L'antipatico Signor Sonno

MONDADORI